煩亂中的寧靜

偕同聖女大德蘭走一趟心靈之旅

約翰·可凡　著

李　嘉　蘭　譯

上智出版社

Let Nothing Disturb You

—A Journey to the Center of the Soul with
   Teresa of Avila—

by John Kirvan

translated by Lii Jia-lan

©1996 Ave Maria Press, Notre Dame,
   Indiana 46556, U.S.A.

Chinese Copyright:©2002 Wisdom Press
                    Taipei, Taiwan

目　次

別讓任何事使你煩亂，

別讓任何事使你害怕，

一切都會過去。

上主永不改變。

耐心將使你得著一切。

有了天主，你就一無所缺。

只要有天主，一切便已足夠。

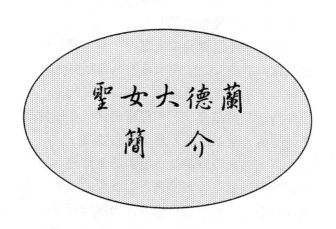

聖女大德蘭
簡　介

聖女大德蘭是十六世紀的西班牙人，也是自古以來靜觀祈禱的權威。她時常渾然忘我，或坐或跪，在修院內的一間房間裡對著外面花園祈禱著，沉浸在天主無限的寧靜中。

但是你若閱讀過她的自傳或其它記事後，你就會納悶她那裏來的時間禱告和進修，又那裏來的空間能讓她享有她常提及的寧靜，沉浸在天主無限的愛與臨在中。

她當時所承受的重大壓力，馬上讓我們聯想到現今的婦女們所要承擔的種種壓力。

自她約四十五歲開始，在接下來的二十年期間內，她共撰寫了五本靈修經典，其中包括她的自傳《全德之路》及《靈心城堡》。

當時的加爾默羅修會過著非常傳統的神修生活，而她就在同時間進行對此會的改革，過程極為艱難，她必須勞碌奔波發揮她超凡的勇氣及領導能力，同時還必須專心研究加爾默羅修會內日常生活中大小事情的各個細節，以及當時十二所女修會和兩所男修會惱人的教會與俗世的政治問題。她所推行的改革，常常都是在萬般阻撓中進行的，這些阻撓中不乏來自各階層人士向她提出來的法律訴訟。它們不但來自當地教會及較高層的教會權力，甚至還有來

自那些不滿於在他們社區內建新會院的「鄰居」。而在這諸般的艱難中，聖女大德蘭還須長年忍受病痛的折磨。年幼時，她因為曾經幾天昏迷不醒，而且還癱瘓多年無法行動，造成她成年後仍活在這些病痛的陰影下。

聖女大德蘭在她的年代裏，一直努力建立一套修道生活方式，使那些與她一樣追尋「更成全的道路」的人有所遵循，而這個理想是比當時修道生活所要求及所行的更「成全」。我們或許很想知道她是憑什麼力量走過萬般困難的？

她的答案是祈禱：在絕境中要祈禱，遭到別人百般攻擊時要祈禱，信心動搖時要祈禱，無法辨別是天主的引領或撒旦的誘惑時更要祈禱。每當有人對聖女大德蘭說天主降福了她，就會同時有另一個相等份量的人告訴她是撒旦在工作。但她卻從未停止祈禱。事實上，她的神修理論，是根據祈禱生活兩個廣泛而具挑戰性的隱喻而來的。

她的第一個隱喻，是將祈禱的生活比喻為一個被澆灌的花園，在祈禱生活的不同階段，澆灌的方式及水源都有其象徵意義。在我們祈禱生活的初期，努力於如何擺脫罪惡，開始默

想，聖女大德蘭將這個階段比擬爲從很遠的井去挑水般辛苦。但當祈禱生活漸漸成熟，我們便進入另一個階段，她稱之爲寧靜的祈禱。在這個階段的祈禱，充滿著天主的恩賜，也讓我們經歷到天主爲主動而我們較被動。我們不再苦於長途跋涉到遠處的井去取水，倒像抽水機直接將水打到我們門口。接下來就是乾枯的階段，此時我們會發現其實我們不需要到遠處去取水，原來近在咫尺就藏著一條河流，可供我們澆灌花園。而在最後的成長階段，我們體驗到天主將許多的恩典傾注我們，將我們與祂自己的生命合而爲一。這一切正如同天上降下的豐沛雨水，落在我們身上。

聖女大德蘭的第二個隱喻，是將我們的靈魂比作內心的堡壘，而堡壘的中央住著天主聖三。她將祈禱生活的長進，比擬爲從堡壘的外圍房間逐漸向中央的主要房間前進。到了這個中央的房間，就會看到裏面非常明亮，而當我們越靠近中央，就與天主越親密。當我們在此生完全地與天主合一時，我們也同時回歸到自己內在的中心。在這時候，我們就可以同時享有身爲人及天主兒女的尊嚴。

每一個房間都代表著我們祈禱生活成長中

各個不同的階段。我們每進一個房間，便會在生命中的每個不同時段，經歷這個新階段所帶來的影響。

以上兩個隱喻都在我們開始尋求與天主的合一時，提昇我們向上。卻不止於我們此生與天主的生命合一。

聖女大德蘭的靈修經驗及著作雖然是這麼的豐富與不凡，她的期望是這麼的崇高獨特，但她的靈修生活、典範及所宣講的道理卻是紮根於一些很基本的真理。這些也可應用在我們身上，即使我們現在在靈修的道路上才剛起步，而且還時常跌跌撞撞，抑或我們的眼光淺短。

不論發生什麼事情，萬不可停止祈禱。

不要忘了，每個人所走的靈修道路都不盡相同。

最後，聖女大德蘭再一次提醒我們，這不是一條輕鬆的道路。回想當初耶穌所走的苦路，以及她自己所遭遇的種種磨難，聖女大德蘭曾經對天主說：「若祢都是如此對待朋友，就難怪祢的朋友這麼少！」

這本小書既非神學，亦非歷史知識的概要，更不是聖女大德蘭靈修理論的指引；而是一系列的默想，取材自她各種的著作。這些著作是

在她一生中困苦的時候所寫的。每一篇默想，都在設法將她的靈修智慧具體化，教我們不要讓任何事使我們煩亂，特別是在我們努力祈禱及尋找屬於自己的路時。我們在本書中將不會著重於她主要作品中的超凡隱喻，而是蘊藏其中首要的真理。這些真理足以照亮通往心靈中心的道路；不但照亮她的路，也照亮我們的路。

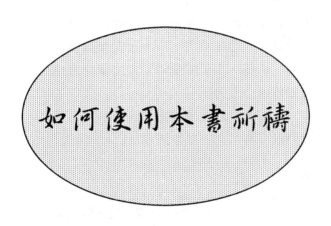

如何使用本書祈禱

聖女大德蘭是歷史中一位相當重要的靈修導師，而本書之主旨在為您開一道門，讓您得以親近她的靈修經驗和智慧。

此書不僅供您閱讀，它更邀請您在三十天中，每天跟著它來做默想和祈禱。

它是一本靈修專用的手冊，在您閱讀它的「規則」之前，請記住，本書旨在使您的心靈得著自由，而非受到限制。所以若您在默想時，無法對當天的禱文產生共鳴，您就另找一篇適合您當天心靈的禱文。您大可盡量重覆用同一篇禱文祈禱，直至您覺得已悟出聖神透過作者所要傳遞給您的訊息。

對於如何將此書作為您祈禱生活的基礎，我們以下提供您一些建議。

晨　　禱

在一天的開始，您須先選一段安靜的時間，在一處安靜的地方，將當日的默想讀一遍。每一篇禱文都很短，通常在兩百字左右，卻都經過細心挑選，供您做全天生活靈修的主題。這是為了讓您在新的一天開始，意識到自己屬靈的存在，並為將您帶到這位靈修導師前，在靈修的旅程中作為您的導師與良伴。但是每篇禱

文最主要的目的是為提醒您，天主無時無刻都在默默地邀請您透過祂、也在祂內生活，而在一天中，您每一刻的生活及行為都在天主的注視下。

在此我們衷心建議您，請您慢慢唸，很慢很慢地唸，千萬別匆匆掠過。我們將每篇默想分段，是為幫助您將每句的意思細嚼慢嚥。這樣一來，說不定哪一段句子，或哪一個字，會在您心靈中產生回應。讓每個字停留在您心中，因為您畢竟是在祈禱而不只是在閱讀。您是在培養一天平和的情緒，所以別著急。

每日短誦

晨禱後，接下來就會有單獨一句話，我們稱它為短誦（mantra），借自印度傳統的用語。其用意是為陪伴您心靈度過忙碌的一天。您可將它寫在一張3" ×5"大的卡紙上或日記簿上，以方便您隨時隨地翻看。您可將它放在心中重複默誦，繼續過您的日子。這不是為打斷您的工作或使您分心，而只是很單純地、溫和地提醒您天主的臨在，和您回應祂臨在的渴望。

晚　禱

現在是將一天裏大小事放下的時候了。

請找個安靜的地方並靜下心來，開始做深呼吸，緩緩地重覆做吐納的動作，直到您覺得全身都已放鬆。現在開始將晚禱逐句地慢慢誦讀。您或許會立刻發現，我們採用了來自教會傳統且爲人熟知的晚禱，並融合了當日晨禱及陪伴您一天的短誦。如此一來，這個簡單的晚禱結合了白天的靈修主題，正如一天的開始，都在天主的親臨中。

現在是作總結的時候，請求天主用愛擁抱您，並在夜裏保護您。

晚安！

使用此書的其它方法

1. 您可按著心靈的需要使用此書，如前所言，若您對當天的禱文沒有共鳴，您可跳過；或者您覺得那一篇禱文特別感動您，您也可在第二天再祈禱同一字句，甚或重覆祈禱數天亦可。靈修生活中的真理就算用盡一生，也未必完全了解，更何況僅是一天

的時間。所以不要急，慢慢來。要對天主有耐性，也要對您自己有耐性。

2. 選兩篇禱文或加上其默想句子——兩者對比越鮮明越好——再將它們「碰」在一起。花點時間去發現它們其中之異同如何光照了您的道路。

3. 開始寫靈修日記，記下這三十天靈修旅程的經歷，並加深您的體驗。您可藉著短誦或禱文中一個特別吸引您的句子，來幫助您寫下您一天中靈修的心得，作一靈修的反省。您也可以自創一套默想的方法。

4. 世界上有無數的人都在尋求加深他們的靈修生活，您也可以加入他們的行列，與其它人組成小組。現在有越來越多的人這麼做，在靈修的道路上彼此扶持。您們可每週或至少隔週聚會一次，選一篇默想的禱文一起祈禱和討論。市面上有許多這類的書籍可供您參閱，幫助您有效地帶領這樣的小組。

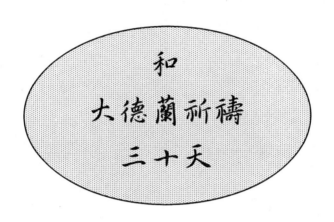

和
大德蘭祈禱
三十天

第 一 天

晨　　禱

人的一生是短暫的，
有時瞬間即逝。
若我們已決定將自己完全奉獻給天主，
又怎知自己的生命
不會在一小時後，
甚或一分鐘後
嘎然即止？

這是十分可能發生的，
因為我們不能依恃會過去的一切，
更何況是那脆弱的生命，
那怕是一天也靠不住的。

也許我們就如那些
雖活在世俗中卻仍渴望行善的人。
有時，我們會將自己託付給天主，
可是這樣的時刻卻是屈指可數。

我們應時時想起自己的靈魂，

即使在百忙中，
儘管腦子裏塞滿了千萬件俗事，
每個月也該祈禱幾次。

「你的寶藏在那裏，你的心也在那裏」

所以我們需要常常扔下每日的擔憂，
需要省察自己靈魂的情況，
並覺悟到
我們若仍然朝著自己的路走，
就永遠也到不了目的地。
我們不時需要
遠離一切不必要的牽掛及雜務。

每日短誦

人的一生是短暫的。
我不能依恃那會過去的一切。

晚　禱

主啊，求祢不要讓任何事
打擾今晚的寧靜。
不要讓任何事使我害怕。
因為即使人生短暫，
生命或許會
在我一覺醒來之前消失，
但若我依靠祢，
而不是那會過去的一切，
我就無需擔心了。

我願在今日的尾聲中，
將所有的煩憂棄置一旁，
並反省自己的靈魂所處的光景。

雖然我仍是世俗的，
但心中卻深懷善志，
也渴望將自己
完全交託在祢的照顧中。
因為，天主，若我有祢，
我將一無所缺。
只要有祢就足夠了。

第 二 天

晨　禱

我們聽到上主的召喚，
也聽到祂要許給我們祂的平安，
縱然我們依然貪戀
世上的享樂及虛榮。
但上主是多麼地盼望
我們來尋求祂，
好讓我們得享有祂為伴的平安。
祂總是不斷地以種種方式
召喚著我們。

不論我們多麼遲於回應祂的召喚，
又多麼無力或不願意
立刻照祂的吩咐去做，
我們勿須頹喪或氣餒。
天主願意多等我們幾天，
甚至幾年，
特別是當我們
心意堅定
並滿懷善志。

當天主要讓我們的心靈平安時，
我們首要的答覆就是堅定的意志。

我們是多麼需要天主的仁慈啊！
否則世俗無所不在的誘惑
會輕易矇騙了我們，
使我們放棄了才剛開始的善工；
使我們無法堅忍地渴望
答覆天主賜我們得享平安的邀請。

我們需要不屈不撓地
渴望愛主
及努力回報
祂無數次向我們證實的愛，
特別是祂在我們心靈中永恆不變的臨在。
這位忠實可靠的情人永不放棄我們。

不論我們在世多少年，
我們也找不到
比天主更理想的朋友，
祂甚至在今生
許給我們的平安，
也是遠超過我們所求所想的。

每日短誦

天主願意等我，
不管是多等幾天，甚或多等幾年。

晚　　禱

主啊！不要讓任何事
打擾今晚的寧靜。
不要讓任何事使我害怕。
主啊！我聽見祢的召喚，
也聽見祢向我許諾祢的平安，
即使我仍追逐著
世上的享樂與虛榮。
但祢是多麼
渴望我來尋找祢，
並得享有祢為伴的平安。

祢會用各種不同的方法
永不停止地向我召喚。
祢曾心甘情願地等著我，
等我好幾天，
甚至好幾年。

我知道，我一直都遲於答覆祢，
沒有能力又不願意
立刻順從祢的命令。
但是我不需要變得沮喪或氣餒，

只要祢在我心中能找到

毅力及渴望

答覆祢賜我靈魂平安的邀請。

因為，天主！若我有祢，

我將一無所缺。

只要有祢就足夠了。

第 三 天

晨　禱

我相信上主會幫助那些
為了祂的原故而開始做大事業的人。
祂永不忘記那些唯獨信賴祂的人，
和那些倚靠祂滿足自己一切所需的人。
這並不表示
我有藉口不再尋求幫助自己；
唯有信賴祂，我才能免於焦慮。

我喜歡我周圍的人，
他們幫助我相信事實如此。
我儘量將自己置身於那些
為愛天主及為服務天主
而有長足進步的人當中，
和那些只信賴天主的人中間。
我尋找那些
專心一致、勇往直前，
並全心渴望為天主做大事業的人，
及那些全心全意信賴天主的人。

我所做的，你也照做，
這樣一來，你就會發現受益匪淺，
正如我也從中得益良多。

儘量避開膽怯的人，
那些人看來似乎
沒有全心全意幫助自己，
對於天主也是不冷不熱。
至於你自己，
「不要擔心吃甚麼、穿甚麼」

一切只管交託給天主。
願天主賜給你，如同祂也賜給了我，
免於焦慮的恩賜。

每日短誦

不要憂慮
該吃什麼、穿什麼，
只管將一切交託給天主。

晚　　禱

主啊，求祢不要讓任何事
打擾今晚的寧靜。
不要讓任何事使我害怕。
在今日的尾聲中，求祢再次向我保證
祢一定會幫助我，
就如同祢幫助那些
為了祢而開始做大事的人。

祢從不忘記
那些唯獨信賴祢的人，
和那些依靠祢滿足他們一切所需的人。
有了祢的幫助，
我不再擔憂掛慮
該吃什麼、穿什麼，
一切只管交託給祢——天主。

求祢賞給我，如同祢賞給聖女大德蘭的：
免於憂慮的恩賜。
因為，天主，若我有祢，
我將一無所缺。
只要有祢就足夠了。

第 四 天

晨　禱

我不懂人們為何
總是害怕
向那通往滿全的道路出發。

吾主，真正愛祢的人
所行的路既寬敞又尊貴，
旅途必定平安，
遠離所有險阻。
吾主，當祢伸出援手時，
我們幾乎不曾跌倒，
即使稍稍失足都不曾有過。

若我們愛祢
而非這世俗的一切，
即使我們不慎摔跤，甚至不止一次，
都不足以使我們喪亡。
我們將沿著謙遜的山谷行走。

願上主

使我們領悟到
若我們置身如此明顯的陷阱重重包圍中，
隨波逐流，
為我們是多麼危險啊！
也使我們領悟到
若要真正的平安無事，
就只有勇往直前，
走向天主的道路。

我們的雙眼必須定睛於目標。
決不要害怕
正義的太陽會日落西山，
也不用擔心天主會讓我們在黑夜裏行走
而迷失了方向，
除非是我們先選擇了
放棄我們原先所走的道路。

每日短誦

真正愛上主的人
旅途必定平安。

晚　　禱

主啊，求祢不要讓任何事
打擾今晚的寧靜。
讓我不要害怕
踏上通往成全的道路。
吾主，若我真正愛祢，
我就會安然無恙地走在既寬敞又尊貴的路上，
遠離任何險阻。

即使我稍稍失足，
我知道祢一定會在我身邊，
向我伸出援手；
在我還未完全跌倒前
扶我一把。

在今天的尾聲中，請祢再次提醒我，
若我隨波逐流，
爲我是多麼危險啊！
而當我勇往直前走向祢時，
我才真正安然無恙。
因爲，天主，若我有祢，
我將一無所缺。
只要有祢就足夠了。

第 五 天

晨　　禱

走在通往成全之道的人，
比突然爲主殉道的人，
需要更多的勇氣，
因爲這成全不是一夕之間可得著的。

你還須戰勝你的情慾。
但事實上，因爲你尋求去愛天主的原故
你期待自己變得非常勇敢，
猶如偉大的聖人一般。
你發覺自己在讚美上主，
但同時也體認到靈魂深處的憂傷。
許多人就在此時掉頭離去，
因爲他們全然不知
該如何自處。

許多靈魂都渴望展翅高飛，
卻等不及天主給他們雙翅。
他們起初都心懷善志、
滿腔熱誠、意志堅定

決心修德前進。
有人甚至為了天主
捨棄了一切。
然而當他們望見修德途中遙遙領先的人，
卻只能讚嘆羨慕。
他們勤讀各種有關祈禱靜觀的書籍，
及一切有關如何成聖的書，
最後卻灰心喪志。

凡事不要心煩意亂，只當在主內盼望。
因為若你渴望奉行主的旨意，
並在主內祈禱、盼望，
又盡力為你自己做一切該做的，
天主將會把你所求所想的，
充滿你的心靈。
我們軟弱的本性
應滿懷信德，
而非令它沮喪。
這是件多麼重要的事啊！
我們當想，若我們全力以赴，
我們必能得勝。

每日短誦

在天主未賜予我雙翼前
別試著振翅高飛。

晚　　禱

主啊，求祢不要讓任何事
打擾今晚的寧靜。
不要讓任何事使我害怕。
在今日的尾聲中，求祢提醒我
成全不是一夕之間可成就的。
上主啊！我知道若我渴望承行祢的旨意，
若我在祢內祈禱，在祢內盼望，
並盡我所能為祢工作，
祢將會把祢所想所願的一切在我的心靈中成全。

我知道，要讓我軟弱的本性
對祢抱持無比的信心，
而不致驚慌失措，
是何等何等的重要。
若我全力以赴，我必得勝。
我要展翅高飛，
但一定得等祢給了我雙翼才行。
求祢賜給我耐心，
不要讓我在此時掉頭離去。
因為，上主，若我有祢，
我將一無所缺。
只要有祢就足夠了。

第 六 天

晨　禱

我們的主只要求我們做兩件事：
愛天主
和愛近人。
這兩項德行
我們當努力達成。
若我們修到成全的地步，
承行了天主的旨意，
就一定會找到與天主的合一。
至於我們是否守了這兩條誡命，
最明確的標記
就是我們真誠地彼此相愛。
我們也許不確定我們是否愛天主，
但我們是否愛了我們的近人
卻無庸置疑。

若我們沒有去愛我們的近人，
卻自以為愛天主，
那就是自欺欺人。

但若我們真誠地愛了近人，
我們必定會與天主合一。

祈求天主賜給你一顆真誠愛人的心，
祢將獲得的賞報
一定遠超過你所求所想的。

天主必會要求你爲了近人的益處
放下你自己的益處，
且背起他們的重擔。

別以爲你這樣做勿須付出任何代價，
也別以爲你會發現一切有天主代勞。
永遠別忘了，慈愛的天主爲了我們眾人
所付出的代價，是天主子。
爲了使別人——祂的近人——免於死亡，
祂親自受了最痛苦的死，
即被釘在十字架上的死。

每日短誦

愛你的近人如同你愛了自己。

晚　　禱

主啊，求祢不要讓任何事
打攪今晚的寧靜。
不要讓任何事使我害怕。
求祢讓我醒來時又是精力充沛，
隨時準備好去關愛我的近人，
如同祢關愛我一樣，
也正如我關愛自己一般。
因為若我不愛別人，
我就無法自以為愛祢。

我知道，在這一天將近尾聲時，
我離這樣的愛還很遠。
但求祢俯聽我的祈禱：
當我見到別人時，
讓我看到祢。
求祢讓我對他們
如同在祢面前
一樣的謙恭有禮。
若我愛他們，
我一定也會愛祢，
而我也將一無所缺。

第 七 天

晨　　禱

你對天主不必汗顏
像一些人一樣，
他們自認爲是出於謙卑。
若你的君王施恩於你，
你卻拒絕接受，
這就不算是謙卑了。
倘若你接受了它，又滿心歡喜，
而同時看到自己是多麼不配領受，
你這才是表現了謙卑。

若天地的君王——三位一體的天主，
到我家中作客，
並樂意陪伴我，
我卻謙卑得
不回答祂們的問題，
或不加挽留，
或收下祂們的禮物，
卻任由祂們獨自留下。
這算什麼謙卑？

若他們對我說話，
又拜託我說出自己想要的，
但我卻謙卑得寧願像現在一樣窮苦，
甚至讓他們離去，
以致他們看到我不夠果斷。
這算什麼謙卑？

那樣的謙卑只會一事無成。
對天主說話如同對父親、對母親、
對兄弟、對姐妹、
對主子、對另一伴說話一般。
有時，天主會用不同的方法教導你
你必須如何做才討祂的歡心。
不要再愚昧了。
求天主允許你
和你靈魂的伴侶談話。
要記得瞭解這個真理是多麼重要——
上主就在我們內，
而且我們應該察覺祂的臨在。

每日短誦

不要對天主汗顏。

晚　　禱

主啊，求祢不要讓任何事
打擾今晚的寧靜。
不要讓任何事使我害怕。
因為祢與我同在，
而我也與祢同在。
求祢使我在祢面前不致羞怯，
但叫我滿懷信心、信賴及愛情和祢說話。
因為祢是我的父親、母親，
我的兄弟、姊妹，
我的天主、我的淨配。

求祢按祢所喜愛的方式
教導我去做必須取悅祢的事。
不管我是如何的當不起，
我仍謙卑地求祢
使這個夜晚充滿了
祢的愛的禮物，
還有祢自己。
因為，天主，若我有祢
我將一無所缺。
只要有祢就足夠了。

第 八 天

晨　　禱

我們向「在天上」的父祈禱。
但「天上」到底在哪裡？
我們要到哪裡才能找到天父？
若我們預備心神專注，
那麼知道及體驗
這個問題的答案
是很重要的。

祢知道天主無所不在；
這確實是個偉大的真理，
因為哪裡有天主，哪裡當然就是「天上」。
你毋庸置疑
任何地方都有我們的陛下在，
處處都充滿了祂的光榮。
你是否記得聖奧斯定告訴過我們，
他是如何四處尋找天主，
最後卻在他自身內找到他的天父。
若一個容易心神煩亂的靈魂
竟能理解這真理，

同時發現，為了要和他永生的天父說話，
並在祂內歡欣，
他既不用到天國去，
也不必大聲說話。
難道你不認為這很重要嗎？
不論我們多麼輕聲細語，
天主都聽得到，因為祂近在咫尺。

我們不需要插翅高飛去尋找天主，
只須找一處能與祂獨處的地方，
並仰望天主在我們內的親臨。
在這麼一位偉大的貴賓面前，
我們不必覺得陌生。
我們得謙遜地和天主交談。
我們應該和我們的天父說話，
且向祂祈求一切
如同我們會向父親或母親所求的。
我們應該向天主細說我們的煩惱，
並求祂為我們一一解決；
同時覺悟到
我們不配做天主的兒女。

每日短誦

不論我多麼輕聲細語，
天主都聽得到。

晚　　禱

主啊，求祢不要讓任何事
打擾今晚的寧靜。
不要讓任何事使我害怕。
永生之父，
在這黑夜裏，
求祢提醒我
為了要和祢說話
又在祢內歡欣
我不需要登上天庭，
也不必刻意大聲祈禱。

不論我多麼輕聲細語
祢都聽得到，因為祢就近在咫尺。
為去尋找祢，我不需要雙翼，
只當明白
今晚的寧靜
就是我得以與祢獨處的地方，
並仰望祢與我的同在。
因為，天主，若我有祢，
我將一無所缺。
只要有祢就足夠了。

第 九 天

晨　禱

天主是多麼喜歡我們的靈魂，
但我們對自己的靈魂卻未給予應有的尊敬。
我們每個人都有靈魂，
但我們卻不明白它是何等寶貴，
因為它是按照天主的肖像而造；
我們也因此無法理解
其中的奧秘。
若我們仔細思考便會明白
我們的靈魂原來是一片
天主所喜悅
的樂土。

讓我們將自己的靈魂
想成一座城堡，
是由單獨一顆鑽石
亦或是一個晶瑩剔透的水晶所造成的，
城堡裏有很多間房間，
有些在樓上，
有些在樓下，其餘的在兩邊。

而在眾多房間的
正中央
就是內室，
這便是天主與我們的靈魂
隱密的談心之處。
你想想
這是個什麼樣的住所，
竟可讓一位這麼偉大、睿智又純潔──
充滿一切美善的國王
歇息其中呢？

我們靈魂的美麗，是無與倫比的，
其潛力是無可限量的。
不管我們多麼聰明，
我們既無法理解天主，
也無法理解自己的靈魂深處，
因為我們的靈魂乃是按照
天主的肖像所造的。
也就是因為我們的靈魂與天主相似，
使我們得以
與那按祂肖像造了我們的天主談心。

每日短誦

我的靈魂是祢所喜悅的。

晚　　禱

主啊，求祢不要讓任何事
打擾今晚的寧靜。
不要讓任何事使我害怕。
當黑夜來臨
一天到了尾聲時，
讓我歸回自己的正中心，
即我的靈魂。
我的天父，它是祢按照自己的肖像所造的，
也是祢選爲家的地方。

求祢使我注意到祢的親臨，
也注意到我與祢相似之處。
讓我們在寧靜的夜裏一起談心。
倘若我的靈魂
真是一片使祢歡欣的樂土，
求祢讓我於祢的親臨中找到我的喜樂。
因爲，天主，若我有祢，
我將一無所缺。
只要有祢就足夠了。

第 十 天

晨　禱

我常常想聖保祿的話：
「在天主，一切都是可能的。」

當你踏上靈修的旅途時，
不必理會別人的警告
和他們提醒你的種種危險。
若你以為，要得到一件稀世珍寶，
雖然沿路上強盜土匪不斷，
你卻不須冒任何的危險，
這樣的想法真是可笑。
世俗的人以為幸福
即是在人生路上一帆風順。
但他們卻為了多賺一塊錢
犧牲一夜又一夜的睡眠，
也使別人的身心不得安寧。

你所走的路乃是一條既尊貴又安全的路，
是吾主所走過的道路，
也是所有天主的選民及聖人曾走過的道路。

世界所加給你的疑慮，
你要置之不理。
對於輿論要充耳不聞。
現在不是凡話都信的時候。
你們該以那些
按天主旨意而生活的人為榜樣。
你當常保良心的純潔，
並學習謙卑自下。
世界視為寶貴的，
你當棄之如敝屣。
若你這麼做，
你可以確定
自己走在正路上。

倘若天主對你甚為滿意，
不論誰反對你——
什麼人都好——
他們都會失望透頂。

每日短誦

在天主，一切都可能。

晚　　禱

主啊，求祢不要讓任何事
打擾今晚的寧靜。
不要讓任何事使我害怕。
我欲循著尊貴的滿全之道而行。
這是祢的親生子
及眾聖人所循之道，
至於阻撓我遵循此道的話語，
求祢抑制。
我的幸福將不建立在
風平浪靜的日子裏，
而在勇敢地遵循祢的旨意中，
不管祢帶我前往何處。

我將在祢的話語中
而不在輿論中
找到我的道路。
風險自然難免，
但天主，只要有祢，
一切都可能。
我將一無所缺。
只要有祢就足夠了。

第十一天

晨　禱

當你祈禱時，
你可以想像自己
在基督面前，
並被祂神聖的人性所流露的大愛所擁抱。
你或許已習慣了祂的臨在，
習慣於和祂談話，
向祂祈求你所需要的事物，
向祂訴說你心中的怨言，
你的一切煩憂也讓祂知曉，
但你也與祂分享你的喜樂。

千萬不要讓你自己
在享受這些恩典的同時，
忘卻了施恩的天主。
但這不致發生，
所以不要擔心。

你不需要
用華麗的詞藻來祈禱，

只須用一些能貼切表達你所需所求的字句。
這為你在靈修生活上的進步大有益處，
而且進步神速。
但是不要將你所有的時間花在
體會天主的親臨中。
這樣的祈禱方式並無不妥，
但是這種神樂只是給你的靈魂，
一個「星期天」的機會
──離開工作勞累的休息日。
你可以留在天主的親臨內，
或自由想像，
但不要因忙於構思長篇大論的祈禱文
而將自己搞得心神厭倦、精疲力竭。
你只須將需要擺在天主台前，
並且承認自己沒有權利
時常感覺到天主的臨在。
事事有定時，
你必須按時行事，
否則你的靈魂就會疲憊不堪。

每日短誦

不要擔憂掛慮。

晚　　禱

主啊，求祢不要讓任何事
打擾今晚的寧靜。
不要讓任何事使我害怕。
在這一天的尾聲中，
讓我再次想起祢的臨在，
讓我不要掛慮對祢說些什麼話。
我知道，我不需編想優美的禱詞。
不管我用什麼字句，祢都會垂聽。
我不需為了體會祢的臨在
而將自己搞得疲憊不堪。
或為構思向祢祈禱的內容
而弄得精疲力竭。
讓我只將我的需要擺在祢的台前──
讓祢知曉我的埋怨，
將我的困難告訴祢，
但也同時與祢一同歡欣於我的喜樂中；
讓我絕不要因為滿足於祢的恩典，
而忘了祢，施恩的天主。
因為，天主，若我有祢，
我將一無所缺。
只要有祢就足夠了。

第十二天

早　禱

願天主讓你嚐到
與祂完全合一時，那種難以置信的喜樂。
世界所給我們的，
沒有任何東西
能與和天主完全結合
那一刻的幸福相比，
既不是財富，也不是歡樂或榮耀，
更不是盛宴或節慶。
世上的任何痛苦或磨難，
和我們的努力，
都無法為我們賺得如此慈愛的觸摸，
如此完全的合一，
如此深深被愛的經驗。
事實上，天主給我們靈魂帶來的滿足、
喜樂和歡愉
即使一小時，也不是我們賺取得來的。
聖保祿說：「世上一總的磨難都不及
我們所盼望的光榮。」

吾主，祢充滿仁慈，
只要能與祢常相左右，永不分開，
此生又有何求？

若與祢結合，天下豈有難事？
有祢在身邊，
還有什麼是我不能爲祢做的？
沒有祢，我算什麼？
離了祢，我一無是處。
若我偏離了祢，即使不遠，
我要如何再找回我自己？

我熱切地與聖奧斯定同禱：
「求祢給我祢所爲我選擇的，
　並將祢所渴望給我的，成全於我。」

只要有祢的恩寵和垂顧，
我永不背棄祢。

每日短誦

主，沒有祢，我算什麼？

晚　　禱

主啊，求祢不要讓任何事
打擾今晚的寧靜。
不要讓任何事使我害怕。
不論今天我所經歷的
是喜樂或滿足，
是痛苦或挫折，
都不值得與我們所期盼的光榮相比。
慈悲又寬仁的主，
我在此生別無它求，
只願與祢常相左右，永不分開。

我熱切地與聖奧斯定同禱：
「求祢給我祢所為我選擇的，
　並將祢所渴望給我的，成全於我。」
因為沒有祢，我算什麼？
離了祢，我一無是處。
若我偏離了祢，即使不遠，
我要如何再找回我自己？
但若有祢，天主，
我將一無所缺。
只要有祢就足夠了。

第十三天

晨　　禱

上主對我說：
「在眞理中愛我的人寥寥無幾。
　因為如此愛我的人知道，
　凡不中悅我的
　皆是虛幻不實的。
　但你若在眞理中愛我，
　我將不對你隱瞞任何事。」

如今我明瞭
蔑視任何不真的事——
即那些不中悅天主的事，
是多麼有福啊！

如今我對任何
不是服侍天主的事
都視爲虛榮與欺騙。
我已意志堅定
全心全力
履行聖經中即使是最瑣細的教導及命令。

我已深信
若我渴望生活在真理中，
並只說真實的事情──
即那些拉近我們與天主距離的事物、
那些遠超過任何世俗智慧的事物，
則世上將沒有任何阻礙是我克服不了的。

主已邀請我們走在真理中，
與「真理」同在。

主所講的真理，
是那無始又無終的「真理」。
世上一切的真理都建立於這個「真理」上。
就如同一切的愛都建立在這個「愛」上，
一切的偉大都建立在這個「偉大」上。

因為歸根究柢
主自己就是「真理」，
除此以外皆是虛假。

每日短誦

沒有任何阻礙是我克服不了的。

晚　　禱

主啊，求祢不要讓任何事
打擾今晚的寧靜。
不要讓任何事使我害怕。
求祢讓我得以休息，
並清楚知道，
為了祢的愛
沒有任何阻礙
是克服不了的，
只要我回答祢的召叫走在真理中
與真理同行，
因為祢就是真理。
一切真理都從屬於祢，
正如一切的愛都從屬於祢，
一切的偉大都建立在祢的偉大上。

當黑夜來臨
求祢賜給我一個寧靜的夜晚，
並將祢的真理放在我的唇上與心中。
因為歸根究柢：
吾主，祢就是真理。
除此之外皆是虛假。

上主啊！若我講訴祢的真理，
我將一無所缺。
只要有祢就足夠了。

第十四天

晨　　禱

各位弟兄姊妹，我們須學習：
若我們欲相似我們的天主，
我們必須永遠努力地走在真理中。
我的意思不單指
口不出謊言；
我所指的是
我們應該在天主及眾人面前
一切所作所爲完全在圓滿的真理內。

最重要的是
我們不應希望別人看我們
比真實的自己更好。
我們一切的言行舉止，
都應該將屬於天主的歸給天主
屬於自己的歸還自己；
我們應在一切的事上尋求真理。
如此一來，我們將對世界不屑一顧，
因爲世界是建立在欺騙與虛僞上，
因而無法長存。

天主，求祢賞給我們
永不失去自知之明的恩賜。

倘若我們為了愛天主的原故，
而厭惡榮耀、財產及各種享受，
遂而擁抱十字架，
並熱心服侍天主，
撒旦自會飛奔而逃，
如躲避可怕的瘟疫一般。
牠是諸謊言之友，自身就是謊言。
對那些走在真理中的人，
牠一籌莫展。

讓我們只說
完全真實的話，
並在這當中，舉目仰望「真理」，
也就是天主。

每日短誦

讓我們走在真理中。

晚　　禱

主啊，求祢不要讓任何事
打擾今晚的寧靜。
不要讓任何事使我害怕。
求祢掃除今日的塵埃。
求祢原諒我說過的謊言，
原諒我今日
在諸多言行舉止上否認了
唯獨祢是一切真實生命的泉源。
求祢潔淨我的口、我的心、我不實的一生，
清除這一切持續不斷、輕易來到我們之間
不足取的驕傲及自愛。

求祢使今晚的夜裏充滿祢的寬仁
及祢的平安，
那是唯有走在祢真理中的人
才擁有的平安。

吾主上主，若我與祢同行在真理中，
我將一無所缺。
唯獨祢是那「真理」。
只要有祢就足夠了。

第十五天

晨　　禱

祈禱的整個根基就是謙遜。
我們愈是在祈禱中貶抑自己，
天主就愈加高舉我們。

有一次，我在省思
我們的主為何如此喜愛謙遜的德行，
頓時腦中浮現一個想法，
一個從未有過的想法：
那是因為天主即是至高的真理，
而謙遜即是真理。

一個最基本的真理即是
我們本身一無所有。
凡不理會這個真理的人
都活在虛假中。
凡明悟並接受這個真理的人
最深得天主的歡心，
因為他們走在真理中，
走在那至高無上的真理中。

我認識的一個人得著了主的啓示：
原來我們內的美善沒有一點是源自自己，
反而是流自恩寵的泉源。
我們的靈魂就憩息在那裡，
如一棵種在溪邊的樹；
一切美善又源於那太陽，
在我們一切的努力中注入生命。
她不論在何時何地看到美善，
總是即刻轉向它的源頭——天主，
因爲她清楚知道，沒有了祂的扶助，
我們束手無策。

若我們定睛於自己的軟弱與愚昧，
將看到多麼驚奇的事，
並認清自己是多麼不配
來服侍這麼一位偉大的天主，
祂的神妙遠超過我們的理解。

每日短誦

要謙遜！

晚　　禱

主啊，求祢不要讓任何事
打擾今晚的寧靜。
不要讓任何事使我害怕。
求祢讓我懷著謙卑的心
走進黑夜裡，
並向自己承認，也向祢承認，
按我本身，我一無所有。
求祢讓我走在這艱難的真理中，
接受自己的軟弱與愚昧；
甚至在祢開啟我的眼時，
見到祢高深莫測的奇蹟妙事，
那是祢為那些在真理中跟隨祢的人
所預備的。

雖然我自己原本一無所有，
但若我有祢，天主，
我所擁有的就足夠了。
只要有祢就足夠了。

第十六天

晨　　禱

真正愛天主的靈魂
也愛所有一切的美善，
保護一切的美善，
讚美一切的美善，
他與美善的人為伍，
幫助並保護他們，
又行所有的美德。
他只愛那真正值得愛的。

您認為真正愛天主的人
還會在乎一切的榮華富貴，
或世上的享樂及尊榮嗎？
這樣的人不會與人爭吵或感到嫉妒，
因為她別無所求，
只顧取悅她所愛的對象。
不管你對天主的愛多大或多小，
這愛必被彰顯。
對天主的愛是永遠無法隱藏的。
當你深愛天主，

這愛將在多方面顯露無疑，
因為巨大的火燄既光芒又明亮。

這麼一份堅強又公義的愛，
在我們有生之年將不斷成長，
永遠沒有結束的理由；
如此一份完全被回報的愛，
又何以像似一份隱藏得了的愛？

若你問我如何才能得到這般的愛？
我的回答是：
立志為天主做事以及為祂忍受磨難，
並在每次機會來到時，
將你的決定化為行動。
你的愛不當只是腦裏的想像，
心中的渴望。
你當以善工予以證明。

每日短誦

愛是無法隱藏的。

晚　　禱

主啊，求祢不要讓任何事
打擾今晚的寧靜。
不要讓任何事使我害怕。
在這黑夜落幕之際，
僅僅在此與祢獨處，
充滿著祢的平安，
是不夠的。
我對祢的愛，不論大小，
在機會來到時
必會顯露無疑。
我的愛一定不是我方才所夢想的，
也決不是在一日落幕之際
我自己用來取暖的而已。
我必須用行為予以證明。
真正的愛超越虔誠的禱詞，
是充滿愛的行為舉止。
心中的真愛不可、也不能被隱藏著。

天主，若我愛祢
用說是不夠的。
除非我承行祢的愛，

我才會一無所缺。

只要有祢就足夠了。

第十七天

晨　　禱

天主啊！為甚麼
甚至當我們已決意愛祢，
卻仍然不能立刻攀至目標，
達到滿全的愛？

那是因為，當我們以為
我們已將一切獻給天主時，
事實上，我們只放棄了
我們努力所賺得的利潤；
那些多餘的，
是我們每日酒足飯飽後的殘羹。
我們仍掌管著這塊領地。

我們決意要做貧窮的人，
這樣做很了不得。
但是我們卻很小心不讓自己有所匱乏，
不單是每日生活所需，
更是那些奢侈品。

我們決意不再尋求榮譽，

但是，一旦我們的榮譽岌岌可危，

我們就忘記自己已將它獻給天主了。

我們會將我們的禮物拿回來，

或該說，搶回來，

雖然我們自稱已將自己的意願獻給上主。

在很多事上也是如此，

我們凡事都以自己喜歡的方式來服侍天主。

也因為我們沒有

立刻將自我完全放棄，

所以天主的寶藏

也不是立刻賜給我們。

天父！

甚至在我們將自己的生命

一寸一寸地交給祢的同時，

我們也該滿意於

一點一滴地領受祢的恩賜，

直到我們將我們的生命完全交付給祢。

每日短誦

忍耐將使你得著一切。

晚　　禱

主啊，求祢不要讓任何事
打擾今晚的寧靜。
不要讓任何事使我害怕。
讓我的恐懼消失，
取而代之是寧靜的休息；
使我的膽怯不再，
取而代之是一顆慷慨的心。

縱然我說
願意將自己完全奉獻給祢，
但事實上
當我一點一滴地
將我生命的恩賜交出時，
心中仍然奢望著
找一些既舒服又輕鬆的方式，
帶著不冷不熱的心
來認識祢、愛祢及服侍祢。
我總是取回我已獻上給祢的禮物。

求祢除去我心中的吝嗇，
反映出祢的慷慨。

我所獻上的每個禮物，
不論多小，
祢都會用祢自己——
充滿無限恩賜的祢——
來賞報我們。
而天主，若我有祢，
我將一無所缺。
只要有祢就足夠了。

第十八天

晨　禱

祈禱是一扇門，
天主經由這扇門
將祂最美好的恩典傾注我們的靈魂內。
若這扇門緊閉著，
我真不知天主要如何將這恩典給我們；
因為縱然天主願意進到我們心靈中
在我們內歡欣，
也使我們與祂同樂，
祂卻不得其門而入。

如果我們要天主來到我們心中，
為何又疏於祈禱呢？
這實在令我費解。
除非我們一心想
讓我們原本充滿煩惱與痛苦的一生
過得更悲慘！

我們為何要拒天主於門外呢？
我們只須下一點點功夫，

天主就會賞給我們所需的幫助，
來承擔我們所面臨的一切考驗。

所以當天主在我們心內
種下了祈禱的渴望，
不管這時我們多麼準備欠妥，
這實是天主給我們最大的恩寵。
我們一生難免面臨罪惡、誘惑及一再軟弱，
但若我們堅忍不拔，
我們的主終究會領我們
航向祂救恩的碼頭。
再說，天主不等到我們來生
才賞報我們所付出的愛，
祂就在此時此地開始豐富我們的生命。

每日短誦

祈禱是一扇門，
天主由此將祂最大的恩典
傾注我的心靈。

晚　禱

主啊，求祢不要讓任何事
打擾今晚的寧靜。
不要讓任何事使我害怕。
在一天的尾聲中，
我願在祈禱中與祢共處。

求祢不要讓任何事使我分心，
求祢幫助我開啓我的心門，
好使我望見祢的親臨，
也讓祢得以藉由此門來到我心中。
不要讓我將祢關在門外。
就在此時此地，只需片刻，
讓我關上一切的聲音，
它們使我一整天忘記了
我時時生活在祢的親臨中。

求祢賜予我祈禱的恩典。
有了它，天主，我就有祢，
我也就一無所缺。
只要有祢就足夠了。

第十九天

晨　　禱

那至高無上的滿全要在何處尋得？

不在內心的悅樂中，
也不在若狂的喜樂和偉大的神視中，
或預言的恩典中，
去找尋或期待發現它；
但將自己的意願符合
天主的旨意。
果真如此，再也沒有什麼事
是天主願意，
而我們自己
則委曲求全的。
一切的苦楚，既知是天主的旨意，
我們將甘之如飴。

歡喜若狂不會長久，
事後只會吝於順從天主的旨意，
所留下的只有自己的意願，靈魂中攪和著自愛，
不見天主的旨意。

選擇天主的旨意確是件難事，
因為我們不單是選擇
承行天主的旨意，
還必須樂於做一些——
按我們的本性而言，
處處相反於自己的選擇。

這的確很難。
但若有滿全的愛，
就有足夠的力量去完成它。

在愛裏，我們忘卻了自己的喜樂，
只為悅樂天主，
因為祂是那麼的愛我們。

每日短誦

滿全不是要自己覺得如意順利，
乃是要承行天主的旨意。

晚　　禱

主啊，求祢不要讓任何事
打擾今晚的寧靜。
不要讓任何事使我害怕。
我又將過完平凡的一天，
這一天裏
內心沒有無法抗拒的喜樂，
也沒有歡喜若狂或神視，
而是苦樂參半。

我曾努力領受臨到我的每一件事，
並盡我所能
將自己的意願
依著祢的旨意而行，
這樣才不會有任何事
是祢願意，而我無法全心全意
爲自己選取的。
因爲天主，若我有祢，
我將一無所缺。
只要有祢就足夠了。

第二十天

晨　　禱

在我們追求滿全的道路上，
若能懷著崇高的理想
真是一大幫助，
因為我們所行常是
始於意念及夢想。
心中若有偉大的理想不算是驕傲，
而是魔鬼使我們以為
一切聖人的生活及善行，
只須羨慕而不須仿效。

若我們不為自己靈修的標竿設限，
我們可以充滿信心，
藉著天主的恩寵
一步一步到達顛峰。
諸聖人也都曾因著
天主的恩寵
到達了那顛峰。
倘若諸聖從未發願渴望，
也從未逐步走向他們的願望，

他們永遠都不可能攀達高峰。

我們須仿效他們的謙卑低下，
卻勇於追尋
信靠天主，而不信靠自己。
因為我們的主喜愛勇敢的靈魂，
又四處尋覓他們。
讓我們不要因為自己過於膽小，
而不敢渴望，
或因為我們求得太少，
而無法到達靈修的終點。

若我謀事貪多、過於心急，
也許會跌跌撞撞，
這一點也不假；
但毋庸置疑的，
若我求得太少，
又或害怕失敗
而裹足不前，
則永遠不會成功。

每日短誦

不要求得太少。

晚　禱

主啊！求祢不要讓任何事
打擾今晚的寧靜。
不要讓任何事使我害怕。
當黑夜來臨將我藏在其中，
除祢以外別無他人在場
偷聽我的祈禱，
別讓我害怕編織偉大的夢想。

既然只有祢聽得到我所祈禱的，
我將無所畏懼勇敢追尋我的夢想。
忠於祢對我愛的要求
我不但要仰慕祢的一切聖人，
我還想要成為他們中的一名。

不要讓我因為求得太少而得罪了祢

若我有祢，上主，
我的祈禱就會蒙祢垂聽，
我的夢想就會成真。
我將一無所缺。
只要有祢就足夠了。

第二十一天

晨　　禱

吾主為了安慰我，
曾經告訴我，
不要因為靈修生活的道路
不能一帆風順
而沮喪不已。
我一會兒熱心，
一會兒又冷淡。
這會兒煩躁，
下一會兒又平靜。
有的時候又倍受試探。
天主卻提醒我，
不必害怕，只要懷著希望。

我們實在不知道自己需要什麼
或該求些什麼。
讓我們將一切交託給主吧！
因為祂比我們自己更瞭解我們。
心懷謙遜的人得著任何東西
都心滿意足，

而且不期望特別的恩寵
好像是他們應得的一般。

但是主啊！若過了許久
我一切的祈禱都得不著安慰，
又幾乎無法尋著祢時，
該怎麼辦呢？
我相信最好的辦法
就是完全地順服於天主，
並承認自己什麼也不能，
同時將自己投入於其它善行中。
或許天主將我們靈魂中
易於祈禱的恩寵收回，
好讓我們知道
單靠自己的力量，
我們能做的是多麼的有限。
你們應歡欣並覺得安慰，
又該覺得，能有一位如此偉大的天主
在這園子裏工作，
是多麼榮幸的一件事啊！

每日短誦

即使你覺得徬徨無助也不須害怕。

晚　　禱

主啊！求祢不要讓任何事
打擾今晚的寧靜。
不要讓任何事使我害怕。
這天不論過得如何，
別讓我沮喪，也不自以爲是。

靈修生活不是一條平坦無險的道路。
我們不知道什麼爲我們是好的，
不知道該在何時何日求些什麼。
我們不論滿腔熱誠或煩亂不安，
不論得享平安或遭受誘惑而隨波飄盪，
不論是熱切祈禱或默默無言，
都無關緊要。
重要的是
不論我這天過得如何，
不管黑夜降臨時我處境如何，
我應永不停止地
在祢內盼望並無所懼怕。
因爲，天主，若我有祢，
我將一無所缺。
只要有祢就足夠了。

第二十二天

晨　禱

有一回在祈禱中，
我看見自己在一片寬廣的平原上。
我獨自一人，面對著
一大群圍困著我的人。
他們佩刀帶劍，
手持長槍和匕首，
全副武裝，
似乎準備攻打我。
我無處可逃，
必死無疑。
身旁又沒有一個人可以幫助我。
在這絕望之際，我無計可施，
只有舉目望天，
卻望見了基督，
那時的祂不是遠在天上，
而是在我正上方的空中
向我伸出援手，
全力保護著我，
使我不再害怕圍攻我的人。

那些人，不管多使勁，
都再也絲毫傷害不到我了。

最初我不明白，
但後來不久，
我又面臨了一次類似的攻擊，
這才使我領悟我所見到的神視，
代表著全副武裝的世界
極力起來攻擊我可憐的靈魂。
那時我就如同神視中所見，
看到自己四面被包圍
而束手無策，
唯有舉目仰望上天，
向天主呼求。
我回憶神視中所見，而想起
除了天主以外沒有任何人是可靠的。
在我所有嚴厲的試鍊中，
吾主總是派遣某人來搭救我，
就如神視中所示，
好讓我不去依戀任何人、事、物，
只竭力取悅我的上主。

每日短誦

只要有天主就足夠了。

晚　禱

主啊！求祢不要讓任何事
打擾今晚的寧靜。
不要讓任何事使我害怕。
因為在試煉中的任何時候，
吾主上主，祢總會
派遣某人來搭救我。
我可以依靠祢，
因為祢一直都在那兒。
不論我四面受困
或內心崩潰無助，
既知靠我自己無計可施，
我仍可舉目仰望天上
向祢呼求。

讓我在這一天的尾聲
在平安中迎接黑夜的來臨，
並知道我沒有什麼可畏懼的。
因為，天主，若我有祢，
我便一無所缺。
只要有祢就足夠了。

第二十三天

晨　　禱

親愛的弟兄姊妹，
當你對天主說：
「願祢的旨意奉行」
是沒有任何危險的，
你只會得著紛如雨下的
財富、喜樂、或榮耀，
又或世上一切的好處。
天主對你的愛並非冷淡的。
天主極為看重祂所賜予你的禮物，
希望大方慷慨地賞賜給你。
因為天上的國度，
即使在今生，
你已有份。

你是否想看看天主是如何對待那些
毫無保留如此祈禱的人嗎？
問問耶穌吧！
祂曾在山園裏
真誠決意地祈禱著。

你會看到天主拿些什麼來賞給
我親愛的弟兄姊妹——
祂的至愛。

看！天主是如何回應耶穌的祈禱：
祂所賞的是試煉、苦難、嘲諷及迫害，
直至
祂在十字架上吐出最後一口氣。

這些都是天主在世上
賞給他們來自天上的禮物，
而天主將這些禮物
按照我們每個人
能為天主承擔的勇氣及愛
而賞給我們，
作為祂愛我們的記號。

熾熱的愛能承受許多痛苦，
冷淡的愛能承受的卻是少之又少。
在我而言，我相信
我們的愛有多深多廣，
端視我們所背的十字架有多重。

每日短誦

讓我不要忘記
天主是如何回應了
祂聖子的祈禱。

晚　　禱

主啊！求祢不要讓任何事
打擾今晚的寧靜。
不要讓任何事使我害怕。
在今日接近尾聲時
求祢讓我不要怯於對祢說：
「願祢的旨意承行在我的生命中。」
但讓我還是不要太輕率地誦讀這段禱詞，
忘了祢是如何回應
祢聖子的祈禱的。
我不應期待紛如雨下的
財富、喜樂、尊榮，
或任何世上的利益，
倒是求祢賞給我
祢所賞給祢聖子的。
我在天上的父啊！即便如此，
我仍然祈求
「不要照我的意思，但願祢的旨意承行。」

因為，天主，若我有祢
我便能放膽地祈禱。
只要有祢就足夠了。

第二十四天

晨　禱

如果你還沒有開始默想，
我要在主的愛內懇求你，
不要剝奪你自己這麼有益的事。
世上沒有任何事好懼怕的，
凡事都有盼望。
你可能無法一夕之間變得圓滿完善，
或是立刻得享
諸大聖人所享有的喜樂與安慰，
但你會一點一點地
逐步認識通往天家的道路。

心禱無他，
就只是與天主作朋友，
並常常與祂秘密地交談，
因為我們知道祂愛我們。

誰若努力不懈
尋求天主的友誼，
就要得到豐富的賞報。

你不要誤以為
祈禱在於多加思考，
也不要以為自己若能詳盡地思考天主的事，
自然是屬靈的人。
更不要以為自己若無法思考，
就一敗塗地。
如果天主賞給了你深思
及明悟的恩寵，你當感謝天主。

但是如果你和我一樣，
我唯一的忠告就是請你有耐心，
直到我們的主
送給我們物質及光照。
你應當將自己擺在天主台前，
而不要白費力氣
去探尋種種的理由，
為了瞭解一些你無法明白的事。
你也不當責怪自己的靈魂，
因為你靈魂的美善
不在於想的多，
而在於愛的多。

每日短誦

不要讓任何事使我害怕。

晚　　禱

主啊！求祢不要讓任何事
打擾今晚的寧靜。
在這個黑夜裏，
讓我休息於祢的臨在中。
世上沒有任何事好懼怕的，
凡事都有盼望。
我可能無法一夕之間變得圓滿完善，
或是立即得享
諸大聖人所享有的喜樂與安慰，
但我會一點一點地逐步認識通往天家的道路。
在這一天最後的時刻裏，
求祢在此提醒我
我是在祢的臨在中。
我和祢交往，不必用
偉大的思想或深奧的見識，
因爲我靈魂的美善，
不在於想的多，
而在於愛的多。
上主，若我愛祢，
我將一無所缺。
只要有祢就足夠了。

第二十五天

晨　　禱

就算我們活到一千歲，
也永遠無法完全懂得
該如何對待天主。
凡是天主的旨意，眾天使都能奉行，
而且他們只要希望，事便成了，
但在天主面前，連他們都仍戰戰兢兢。
所以在你祈禱之前，
請先停下來想想，
你現在正來到誰的面前？
你要對誰說話？

若我們前來祈禱時
卻不想想我們是在對誰說話，
自己在做什麼，
自己是誰，竟膽敢對天主說話，
那不論我們嘴裏說些什麼，
都不算是祈禱。
當然，我們不需要
每次祈禱都想著這些事，

但是若我們和天主說話，
毫不在意說出的話是否得宜，
卻只是脫口
誦讀著腦海裏熟背、經常重複的經文，
這也不叫做祈禱。

你若要默想，還需要一本書。
（我在過去的十四年裏，
　若不藉著讀書就無法默想！）
你也許需要出聲誦讀一些經文，
才能讓自己集中注意力。
我認識一位無法做心禱的修女，
她只能在唸天主經及聖母經時，
偶爾停頓一下。
我們的天父帶領我們每個人的路
都不盡相同。
明白這個道理很重要。
那些在我們看來似乎最不蒙祝福的人，
也許在天主的眼裡是至高至上的。

每日短誦

求祢不要讓我忘記
我是在誰的面前
祈禱。

晚　禱

主啊！求祢不要讓任何事
打擾今晚的寧靜，
或我來到祢台前的渴望。
求祢不要讓我因祢的臨在而不知所措，
或因自己的軟弱而不敢發言，
或像往常一樣，因為無話可說，
而喃喃背誦著熟悉的禱文。

請祢接受這個樣子的我
和我能給予的一切。

天上的父，
祢帶領我們每個人走的路都不盡相同。
此時此地在祢面前，
求祢將我與祢交談的渴慕和口中的話語，
變為一段祈禱──
一段值得祢的愛的祈禱。

若我有祢，天主，
我將一無所缺。
只要有祢就足夠了。

第二十六天

晨　　禱

有一天，我聽到這樣的話：
「在這一生中，真正的益處
　　不是在我內力求更大的喜樂，
　　而是按我自己的意願在做。」

親愛的弟兄姊妹，我們是屬於天主的，
所以但願祂的旨意承行在我們的生命中。
這就是說我們要將自己的一生
交託在天主的手中，
善用我們的恩賜，
盡可能將一切的私利放在一旁，
並完全捨棄自我。
若要真正地侍奉天主，就要忘記自我，
拋開自己的利益、自己的安逸
和外表的快樂。

重要的是，我們該將
自己的心
作為一份禮物，

空虛自我
好讓它裝滿了天主。
這份禮物中有何等大的能力啊！
我們全能的聖父將我們與祂合而為一，
且改變我們，
為使造物主與受造物結合。

這樣的合一是多麼令人渴慕啊！
若能達到這個境界就可
無憂無慮地
活在今世及來世。
其實這沒有什麼祕密、奧妙或神奇的方法。
我們一切的幸福僅在於
奉行天主的旨意。
但天主不會勉強我們，
天主只會拿我們所願意給的。
但若我們不將自己完全交託在天主手中，
天主就不可能完全屬於我們。

每日短誦

讓天主的旨意
在我的生命中承行。

晚　禱

主啊！求祢不要讓任何事
打擾今晚的寧靜，
現在又是一天的尾聲，
黑夜逐漸逼近，
求祢幫助我從祢慈愛的臨在中
得著勇氣。

求祢不要讓我害怕
把自己的生命與祢的生命結合，
並空虛我的心，
好讓祢進來。

祢不會強迫我在祢的面前。
除非我們誠摯地邀請祢，
又熱心款待祢，
否則祢不會不請自來。

若要將我的心完全獻給祢，
單靠我自己的勇氣是不夠的，
我所需要的力量只有祢能給與。

求祢俯聽我的祈禱。

天主，若我有祢，
我將一無所缺。
只要有祢就足夠了。

第二十七天

晨　禱

至於我，若要我選擇，
我總會選擇受苦的道路，
不只是因為我可以藉此仿效耶穌，
也因為它會附帶許多其他的祝福。
直到我們為了耶穌的原故捨棄一切，
我們才會明白痛苦為何是恩寵，
以及它是多麼大的祝福。
因為只要我們仍依戀著任何人、事、物，
那是我們珍視他（它）們的原故。
放棄我們所珍視的，也許是痛苦的，
但若我們視虛無為貴，
又貪戀著毫無價值的東西，
那是何等的損失，
何等的盲目，
何等嚴重的禍害啊！

有一天吾主對我說：
「女兒，妳要相信我，
　我的父最心愛的人

所受的考驗也最大。

各種的考驗代表天主對我們的愛。

我要如何向妳表達我對妳的愛呢？

豈不是願妳也得著我自己所願得著的嗎？」

我們若要成為真正屬靈的人，
就要烙下十字聖印，
做天主的奴僕。

天主賞給我們最大的恩寵，
就是讓我們度
有耶穌引領的一生。

每日短誦

各種的考驗代表天主對我們的愛。

晚　　禱

主啊！求祢不要讓任何事
打擾今晚的寧靜。
在這刻的寧靜中，讓我開始
放開我心中無數
大大小小依戀著的人、事、物——
我所依賴的，
而且我曾用它們來建築我的一生，
又是我一切希望之所在。

要放掉我所珍惜的一切，
會非常痛苦。
但若我視虛無為貴，
又貪戀著毫無價值的東西，
我知道那是何等的損失，
何等的盲目，
何等嚴重的禍害啊！

但若我真的放手，
我將有祢，天主。
我將一無所缺。
只要有祢就足夠了。

第二十八天

晨　　禱

當我首次覺悟到，
吾主雖貴為天主，卻也是血肉之軀時，
我對祂的愛與信靠
就從未停止成長。
祂對於我們的軟弱或不斷的跌倒
一點也不覺得意外。
我可以如朋友般和祂交談，
因為祂雖是我的主，
我卻未將祂視如一般世俗的主子；
因為世俗的主子虛弄權勢，
只在特定的時刻接見人們，
只和特定的人士談話。
窮苦人家若有任何事相求，
還須到處拉關係，
又巴結又拉攏，
即使獲得接見，
也是經過百般折騰之後。

但是吾主啊！我們不需要任何人引見，

就可以來到祢面前！
我們的天主是多麼美善啊！
我們的天主是多麼美善啊！
又多麼大有能力啊！
祢是我真正的朋友，
而且當我與祢在一起時，
我覺得自己是那麼的有能力。
因為知道祢永不捨棄我，
所以即使全世界與我為敵，
我覺得也抵擋得了。
主啊！祢是我們的助佑，
祢凡事都能，
並使萬物都歸屬於祢。
只要我們行走在這真理中，
行走在祢的眼前，
並帶著一顆純潔的良心，
我們就無所畏懼。

每日短誦

天主是我的朋友，
一個真誠的朋友。

晚　　禱

主啊！求祢不要讓任何事
打擾今晚的寧靜。
求祢讓我不要害怕
留戀於祢的臨在中，
雖然我所有人性的軟弱都盡在祢眼前，
就因為祢是主，
所以祢對我時刻的軟弱
和不斷地跌倒，
一點也不感到意外。
祢是我的上主，
但祢也是我的摯友。
祢是我的助佑，
祢永不捨棄我。

在這逐漸落幕的黑夜裏，
我覺得
即使全世界與我為敵，
我也抵擋得了，
因為若我有祢，天主，
我將一無所缺。
只要有祢就足夠了。

第二十九天

晨　　禱

有時，當我做補贖或受苦都不覺得難忍時，
我就會希望
自己能為天主多活幾百幾千世。
而且常常當機會到來，
需要我將這些願望付諸行動時，
心中的這些渴望也是極真實的。
但是我不敢說我時時都如此渴望著，
因為我的靈魂，也會在
最小的事上
變得膽小懦弱，
而且害怕得
無法為天主做任何事。

這事難道不曾發生在你身上嗎？

有時，當我處在試煉中，
我倒覺得沒有任何事是我會依戀的。
但隔天我卻發現
自己昨天才輕視的事物，

今天卻緊抓不放，
這真是讓我認不得自己了。

我可以一天滿懷勇氣，
願意為了天主上天下海，
而第二天稍微遇到阻礙，
就變得膽小如鼠。
有的時候，任何人說的任何話都不會使我煩亂。
卻也有的時候，僅一句話就可以把我傷得
想立刻逃離這個世界。

我的天主，祢清楚是怎麼回事。

求祢垂憐。
求祢成全我得以實現
我的一些夢想，
為了祢更大的榮耀。
求祢不要完全放棄我，
因為有祢的力量，我就能忍受許多；
沒有了祢，我一無所能。

每日短誦

只有天主永不改變。

晚　禱

主啊！求祢不要讓任何事
打擾今晚的寧靜。
當我在此獨自一人
享受著祢親臨的圍裹時，
可以輕易地
將世界和我全部的心許給祢。
但到了明天
我或許又變得膽小懦弱，
而緊抓著那些
今晚看來一點也不重要的東西。

即使我現在勇敢地、毫無保留地祈禱時，
也求祢垂憐。
爲了祢更大的榮耀，
求祢成全我得以實現
我最起碼的一些夢想，
並克服我一些的懦弱。
因爲在我的心靈深處
我只渴慕祢，天主，
只要有祢就足夠了。

第三十天

晨　禱

我的上主，
祢就是仁慈，就是愛。
求祢幫助我在祢內愛我自己，
也爲祢而愛自己，並藉著祢的愛來愛自己，
更因著祢的原故去愛我的近人。
願我能擁有祢
視爲我唯一的珍寶，
我唯一的榮耀，
遠比一切受造物貴重得多。
求祢使我在祢
給我滿全的聖愛內
和永恆不變的愛中歡欣。
而這永恆不變的愛
是出自與祢面對面的眾天使和聖人
對祢的愛。

願我的近人
都能背負他們的重擔
如同我願背負自己的重擔。

求祢讓他們只在乎祢，
也只在乎那些引領他們
歸向祢的一切事物。

最重要的是，
求祢幫助我時時記得
我只有一個靈魂，
只有短暫的一生，
一個必須靠我自己
去活出來的一生；
只有一次的死亡
和一次而永遠的光榮。

若我這麼做，
我將毫不在乎
許許多多的事，
正如祢所許諾的。

沒有什麼再能使我煩亂。

每日短誦

對我而言，
活著就是基督，
死了就得益處。

晚　禱

主啊！
在這寧靜的夜裡，
求祢讓我聽到近人的聲音，
我總是忙於滿足自己的需要，
而忽略了他們。
不要讓我自欺欺人，以為
我若對近人的需要充耳不聞，
就可以聽得見祢的聲音。
祢是藉著我近人的口對我說話的。
若我愛我自己
卻不愛他們，
便不能自認愛祢。

求祢幫助他們
背負他們的重擔，
就如同我盼望
在祢的助佑下，
背負我自己的重擔一樣。

祢已承諾
我們將毫不在乎

許許多多的事，
不再有什麼事能使我們煩亂。
因為若我們有祢，天主，
我們將一無所缺。
只要有祢就足夠了。

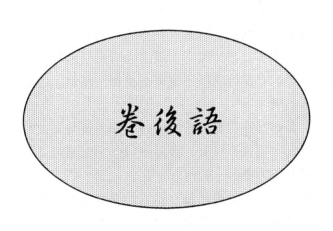

卷後語

本書的目的只是在於引領您認識某一位導師的靈修智慧，也是引領您走向您自己靈修道路的一條通道。

　　或許您覺得聖女大德蘭在天主內的經驗，是您想更進一步及更深入認識與學習的。果真如此，您就該繼續再看她其它的著作。她是位超凡的密契家和靈修生活的實行者，而且她的作品不勝枚舉。單是她自己的作品，其中包括她的自傳就多達數集。在過去的幾百年內，許多的學者及密契家為了讓讀者容易接近她，寫了無數有關她講授的道理的書籍，編輯了她許多的著作。

　　但或許您覺得她的經驗對您並沒有太大的幫助，這也不打緊。除了她以外，您還可以選擇其他的導師，相信您一定會找到一位適合您的導師，在您自己獨一無二的靈修道路上給予您指導與幫助。您會找到您的導師，您會找著您的道路。

　　正如聖奧斯定提醒我們的：若不是天主先找到我們，我們不會去尋找天主。

　　附帶該提的是，靈修不是只顧自己不問世事，只住在「我和天主」的小天地裏。靈修生活若要具有意義，要生長開花而不是枯萎凋零，

必須像一條不絕的泉源，活出寬仁慈愛的生命。
靈修生活必須是伸手給人，如同天主向我們伸手一樣。

　　真正的靈修得以拆除我們心靈的藩籬，使我們的心靈不只進入天堂，更可進入世界。

A 聖 經

B　聖經與靈修

C 教理、教史文獻

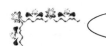

F 靈 修

編號	書 名	作者/譯者	NT
F0001	天主在等待你	Richard Chilson,C.S.P./ 易利利 譯	150
F0002	向天主開放—祈禱的導引	Thomas H.Green,SJ./ 林清華 譯	160
F0003	五分鐘祈禱奇蹟	Linda Schubert/ 易利利 譯	80
F0004	內心樂園—愛的三部曲	吳經熊/ 黃美基等 譯	300
F0005	唯愛能行處	John Kirvan/ 尹空山 譯	150
F0006	方舟心靈	溫立光/ 黃文媚、納德 譯	100
F0007	聖山沙漠之夜： 隱修導師談〈耶穌禱文〉	盧德 編譯	100
F0008	歸心祈禱 (簡介)	M.Basil Pennington/ 鄭重熙 譯	60
F0009	神妙的歸心祈禱	M.Basil Pennington/ 姚翰 譯	280
F0010	愛的喜樂—德蕾撒修女嘉言集	Jaya Chaliha & Edward Le Joly/ 丁穎達 譯	350
F3021	教友靈修	宋之鈞 著	130
F3025	眾人之中一個答覆〈是〉	Maria Rosa Guerrini O.S.A./ 德蘭 譯	100
F3031	心之禱—七日談	Daniel Maurin/ 達樂 譯	130
F3033	祈禱的力量	Jean Lafrance/ 若望 譯	150
F3034	心曲	Jean Lafrance/ 于士錚 譯	100
F3039	在基督內成長	Robert DeGrandis,SSJ / 鄭德泮譯	100
F3040	向隱密中的天父祈禱	Jean Lafrance/ 賈彥文 譯	160
F3060	爲什麼？天啊！—痛苦的奧秘	Carlo Carretto/ 若望 譯	150
F3065	與主接觸	Anthony de Mello/ 蜀山諫俠 譯	250
F3068	甜蜜的家—羅馬	Scott & Kimberly Hahn/ 鄭重熙 譯	250

Ⅰ 加爾默羅靈修

J 心靈治癒

L 見證、聖賢傳記

編號	書　名	作 者 / 譯 者	NT
L0001	雅培理神父 －教會大眾傳播福傳之父	上智編輯小組 編輯	60
L0002	德蕾莎修女傳	千葉茂樹/ 吳國禎 譯	100
L0003	愛的力量 －亞爾斯本堂聖維亞奈神父傳	G.Hunermann/ 張依爵 譯	300
L0004	神恩無限・生命活現 －從哈佛走向方濟	Michael Scanlan,T.O.R/ 徐鉅昌 譯	250
L0005	認識教會的聖人和慶節 (上)(中)(下)	（準備中）	
L3023	愛你太遲—奧斯定	Mariarosa Guerrini O.S.A/ 之文 譯	100
L3073	一位癌症患者的奮鬥	Bernarda Cadavid, FSP/ 田毓英 譯	100
L3121	認罪、悔改與寬恕	疏效平 等著	160
L3135	信主的人必有奇蹟跟隨他們	疏效平 等著	180
L3152	獻上一生	疏效平 等著	150
L5045	生命的勇者	永井隆/ 賴振南 譯	250
L5046	遺孤人間	永井隆/ 賴振南 譯	250
L5050	我是女人—為什麼說我是殘障者?	Annette Munch/ 黃文媚 易利利 譯	120
L7009	雅琴的故事	惠蘭 口述/ 盧德 編寫	100
L9006	耶穌傳	羅光 著	90
L9009	雅培理神父傳	Don Luigi Rolfo/ 胡安德 譯	270
L9011	分水嶺上話天恩 －阿寬神父的奮鬥	黃德寬 著	100
L9013	戴格蘭修女傳	Domenico Agasso/ 王愈榮、 李若望 譯	250

煩亂中的寧靜

——和大德蘭祈禱三十天——

著　者：John Kirvan

譯　者：李嘉蘭

准印者：狄剛總主教

發行者：鄧秀霞

出版社：上智出版社　台北市忠孝西路一段 21 號

登記證：局版台業字第 0099 號

承印者：永望文化事業有限公司　　　電話：23680350
　　　　台北市師大路 170 號 3 樓之 3

服務處：

聖保祿孝女會　　　　　　　　　　傳真：29027212
　台北縣 242 新莊市三泰路 66 號　☎：29017342
　http://www.catholic.org.tw/stpaul/

聖保祿文物供應社　　　　　　　　郵撥：19399740
　100 台北市忠孝西路一段 21 號　　傳真：23717863
　　　　　　　　　　　　　　　　☎：23710447

　E-mail:fsp.tp@msa.hinet.net

台中分社　　　　郵撥：財團法人聖保祿孝女會　21999096
　400 台中市光復路 136 號　　☎／傳真：22204729

高雄聖保祿文物中心　　　　　　　郵撥：42006873
　802 高雄市五福三路 149-1 號　☎／傳真： 2612860

聖保祿書局　　　　　　　　　　　傳真：26016910
　香港新界沙田下徑口村 39 號　　☎： 26030815
　E-mail:stpaulhk@netvigator.com

澳門聖保祿書局
　澳門主教巷 11 號　　　　　　　☎： 　323957
　Paulinas@macau.ctm.net

2002 年 7 月初版　2003 年 11 月二刷　　　NT$ 150
I0014
ISBN 986-7873-02-5

國立中央圖書館出版品預行編目資料

煩亂中的寧靜：和大德蘭祈禱三十天／約翰・可凡
（John Kirvan）著；李嘉蘭譯. -- 初版.
-- 臺北市：上智，2002〔民91〕
　　面；　公分
譯自：Let nothing disturb you
ISBN 986-7873-02-5（平裝）

1. 天主教 - 祈禱　2. 天主教 - 靈修

244.3　　　　　　　　　　　　　91012253

編輯室的話

親愛的讀者：

　　謝謝您看完這本我們精心爲您準備的書，希望您能從本書吸取對您的靈修和生活有益的幫助和滋養。如果您認爲這本書對您的朋友、家人或其他人也有幫助，請您有機會時向他們推薦或將書借給他們看，爲使這本書能達到最大的效益。

　　我們本著福傳的精神竭誠爲您服務。如果您有任何的意見或提供，歡迎您來信指教，不勝感激。

上智出版社編輯室

$5.⁰⁰